DIVERSIÓN EN LA COCINA
Vegetales divertidos
CANAPÉS DE VEGETALES
Combinados

CONCEPTO
LATINBOOKS

EDICIÓN Y SUPERVISIÓN
CYPRES S.A.

Traducción y edición
Juan Cruz De Sabato

Supervisión de obra
Marta Lucía Ghiglioni

Dirección de arte
M. Oscar Taboada

Diseño y armado
Pablo Vega Avendaño

Montevideo - Rep. O. del Uruguay
info@latinbooksint.com
www.latinbooksint.com

Catalogación en la fuente

Stepanova, Iryna
Vegetales divertidos / Iryna Stepanova ; adaptación y traducción al español Juan Cruz De Sabato. -- Montevideo, Rep. Oriental del Uruguay : Latinbooks International, 2009.
64 p. : il. ; 14 x 20 cm. -- (Diversión en la cocina)

ISBN 978-9974-679-76-4

1. GASTRONOMÍA. 2. RECETAS DE COCINA. 3. COCINA PARA NIÑOS. I. Título. II. Serie. III. De Sabato, Juan Cruz, adap y trad.
CDD 641.562

ISBN: 978-9974-679-76-4

Impreso en Panamericana Formas e Impresos S.A.
Impreso en Colombia
Printed in Colombia

Edición 2009

PRESENTACIÓN

Es muy importante que los niños incorporen hortalizas a su alimentación, ya que les proveen fibras, vitaminas y valiosos minerales que son necesarios para su organismo y evitan el riesgo del sobrepeso infantil. Por ello, precisamente, una **dieta equilibrada** incluye variedad de vegetales (vegetales de todos colores). Sin embargo, en general, los niños de hoy suelen rechazarlos. **¿Cómo hacer para que cambien sus hábitos alimenticios y consuman más vegetales y menos "comida chatarra"?** El primer paso es tratar que se hagan "amigos" de las hortalizas, que las conozcan, las toquen, las huelan, las corten... ¡Que jueguen y puedan crear!, luego querrán probar, saborear, disfrutar y compartir el resultado de sus creaciones. **Así, como si fuera un divertido juego, y casi sin darse cuenta, incorporarán vegetales de todos los colores a su alimentación cotidiana.** Ésa es la intención de esta serie. ¡A jugar, crear y disfrutar!

CÓMO CONSULTAR ESTA OBRA

La lista de ingredientes te indicará lo que necesitas para cada receta. os ingredientes en color figuran en la sta de equivalencias de la página 62.

TELÉFONO QUE LLAMA A COMER

1 Tomate grande	2 Pepinos	Maíz tierno
1 Tomate pequeño	Guisantes	

1. Toma medio tomate grande y medio pequeño.
2. Corta una fina rodaja de la parte de arriba del tomate pequeño. Coloca sobre esta rodaja guisantes cortados al medio y un grano de maíz tierno. Éste es el dial. (Fotos 2 y 3)
3. Coloca la mitad del tomate pequeño sobre la mitad del tomate grande y agrega el dial. El cuerpo del teléfono ya está listo. (Fotos 4 y 5)
4. Corta dos rectángulos de pepino y colócalos sobre el teléfono. (Foto 6)
5. Corta un pepino con la forma del tubo. (Foto 7)
6. Corta un pepino con la herramienta para hacer espirales. Junta una punta al tubo y la otra al teléfono. (Foto 8)
7. Para terminar, coloca el tubo sobre el teléfono.

6

7

Las indicaciones paso paso te guiarán durante la preparación.

Las fotos paso a paso ilustran las indicaciones.

La foto del modelo terminado te muestra el resultado.

LA LANGOSTA

1 Tomate grande	1 Pepino	Cebollino
2 Tomates pequeños	Guisantes	Repollo
	Semillas de amapola	Maíz tierno

1. Corta un tomate como se ve en las fotos 1 y 2. Desprende los cuatro gajos laterales y resérvalos. Luego córtalo a la mitad.
2. Corta la mitad de la parte de abajo y resérvala para hacer la cola de la langosta. (Foto 3)
3. Coloca la otra mitad con el corte hacia abajo y junto a ella coloca dos de los gajos que reservaste, como se ve en la foto 4. Éstos serán los brazos.
4. Corta los otros dos gajos a la mitad, éstas serán las tenazas de la langosta (fotos 5 y 6). Colócalas en los brazos, como se ve en la foto 7.
5. Corta un tomate pequeño en rodajas. Con ellas arma la cola de la langosta y termínala con el segmento que habías reservado. (Foto 8)
6. Coloca un tomate pequeño entero entre los brazos para hacer la cabeza.
7. Inserta tallitos de hinojo en dos guisantes, éstos serán los ojos. Haz dos orificios en la cabeza con un palillo e inserta en ellos los ojos. Completa las pupilas con semillas de amapola y los bigotes con cebollino. (Foto 9)
8. Para terminar, coloca la langosta sobre una base de granos de maíz tierno, repollo y lechuga.

6
7
8
9

TELÉFONO QUE LLAMA A COMER

1 Tomate grande 1 Tomate pequeño	2 Pepinos Guisantes	Maíz tierno

1. Toma medio tomate grande y medio pequeño.
2. Corta una fina rodaja de la parte de arriba del tomate pequeño. Coloca sobre esta rodaja guisantes cortados al medio y un grano de maíz tierno. Éste es el dial. (Fotos 2 y 3)
3. Coloca la mitad del tomate pequeño sobre la mitad del tomate grande y agrega el dial. El cuerpo del teléfono ya está listo. (Fotos 4 y 5)
4. Corta dos rectángulos de pepino y colócalos sobre el teléfono. (Foto 6)
5. Corta un pepino con la forma del tubo. (Foto 7)
6. Corta un pepino con la herramienta para hacer espirales. Junta una punta al tubo y la otra al teléfono. (Foto 8)
7. Para terminar, coloca el tubo sobre el teléfono.

6

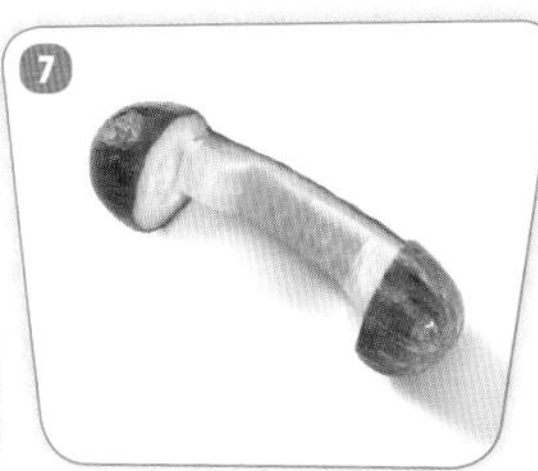
7

8

EL MOTOCICLISTA

1 Tomate	1 Aceituna negra	Perejil
1 Pepino	Cebollino	Guisantes
1 Rábano	Palitos salados	Maíz tierno
1 Aceituna verde	Semillas de amapola	Zanahoria

1. Corta un tomate al medio y luego corta una rodaja de la parte de arriba y dos ranuras a los lados, como se ve en la foto 1. Allí irán las ruedas.
2. En medio pepino perfora dos agujeros con un palillo de madera, inserta en ellos cebollino para hacer los brazos y las piernas del motociclista.
3. Perfora otro agujero en la parte superior para la cabeza y coloca en él un palito salado, para el cuello. Inserta un tallo de perejil en el cuerpo y las manos para hacer el manubrio. Haz las botas con una aceituna negra cortada al medio.
4. Coloca al motociclista sobre la moto. Haz las ruedas con dos rodajas de pepino y el faro delantero con un grano de maíz tierno.
5. Haz un casco con un rábano, cortándolo como se ve en las fotos 5 y 6.
6. Para hacer las manos corta al medio un guisante y ábrelo, sin separar las dos mitades. Colócalas sobre el manubrio. (Foto 7)
7. Para terminar, coloca el casco sobre el cuello y haz la cabeza con una aceituna verde, un pedacito de zanahoria para la nariz y rábano para la boca. Haz los ojos con un grano de maíz tierno cortado al medio y semillas de amapola para las pupilas.

6

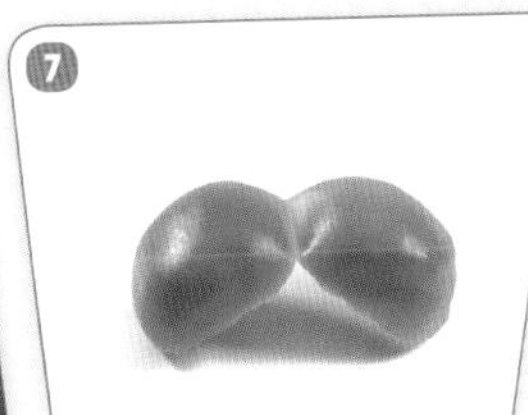
7

8

PESCANDO EN EL HIELO

1 Pepino	Semillas de amapola	Hinojo
1 Rábano	Judías rojas	Queso
2 Aceitunas negras	Perejil	

1. Corta un círculo en una lonja de queso, éste es el agujero en el hielo.
2. Apila algunas rodajas de pepino sobre el queso, para formar el cuerpo del pescador. (Foto 1)
3. Corta dos aceitunas negras como se ve en la foto 2, para hacer las botas del pescador.
4. Corta una rodaja ovalada de pepino como se ve en la foto 3. Colócala sobre el cuerpo del pescador, con el agujero hacia fuera, para hacer sus brazos. (Foto 4)
5. Haz una caña de pescar con un tallo de hinojo, colócala sobre los brazos del pescador y agrega una rodaja más de pepino encima. (Foto 5)
6. Haz la cabeza con un rábano, córtale uno de los lados, como se ve en la foto 6.
7. Decora la cara con semillas de amapola para los ojos, tallitos de perejil para las cejas, la punta de una judía roja para la nariz, una rodaja de rábano para la boca y perejil para el flequillo.
8. Para terminar, coloca la cabeza sobre el cuerpo.

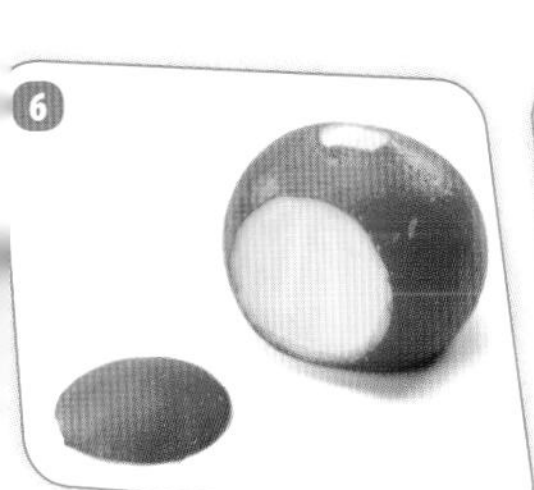
6

7

8

EL PAVO REAL

2 Pepinos **2** Rábanos **1 Aceituna negra**	Maíz tierno Semillas de amapola **Perejil**	Cebollino

1. Corta a la mitad oblicuamente un pepino.
2. Extrae un cilindro de una de las mitades. Haz un corte superficial para la cola y extrae otro cilindro para el cuello. (Fotos 2 y 3)
3. Corta un rábano en rodajas finas.
4. Coloca las rodajas de rábano en el corte para la cola, formando las plumas del pavo real.
5. Corta una tira de pepino y pásala a través del agujero horizontal del cuerpo. Éstas son las patas. Haz los dedos con un tallo de perejil. (Fotos 5 y 6)
6. Inserta otra tira de pepino en el otro agujero, para hacer el cuello. (Foto 7)
7. Haz la cabeza con una aceituna negra. Haz el pico con dos tallitos de cebollino, los ojos con granos de maíz tierno y semillas de amapola, y una cresta con perejil. Inserta la cabeza en el cuello. (Foto 8)
8. Para terminar, corta finas rodajas de rábano a la mitad para hacer las alas y colócalas a los costados. (Foto 9)

6

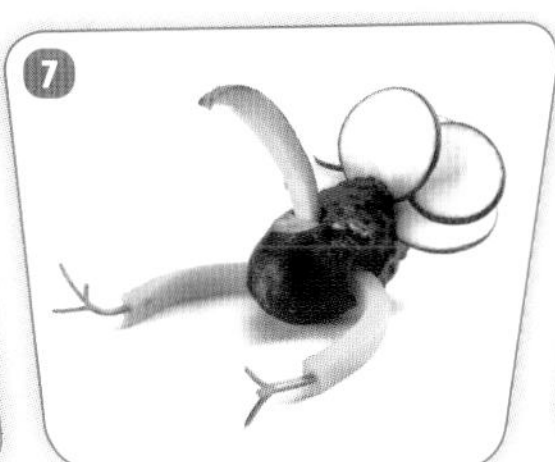
7

8

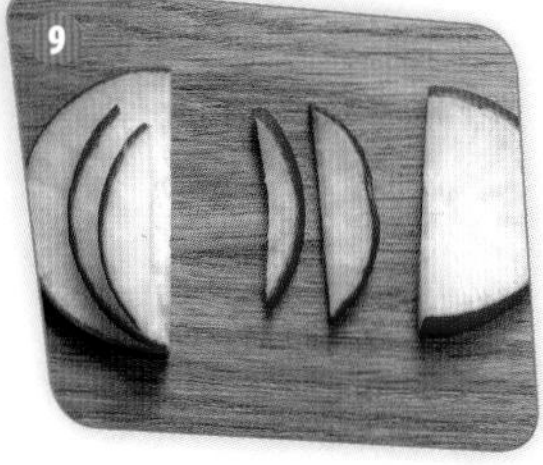
9

EL PULPO

1 Pepino	Semillas de amapola	Maíz tierno
1 Tomate	Guisantes	

1. Corta una fina lámina de pepino a lo largo y luego córtala en tiras, como se ve en la foto 1.
2. Separa las tiras y agrega guisantes en las puntas.
3. Junta dos rodajitas de pepino para hacer la boca. Apóyala sobre el cuerpo del pulpo. (Foto 4)
4. Corta al medio una rodaja de tomate para hacer la cabeza del pulpo.
5. Para terminar, coloca dos rodajas de pepino sobre la cabeza y sobre éstas dos granos de maíz tierno para los ojos, usa semillas de amapola para las pupilas.

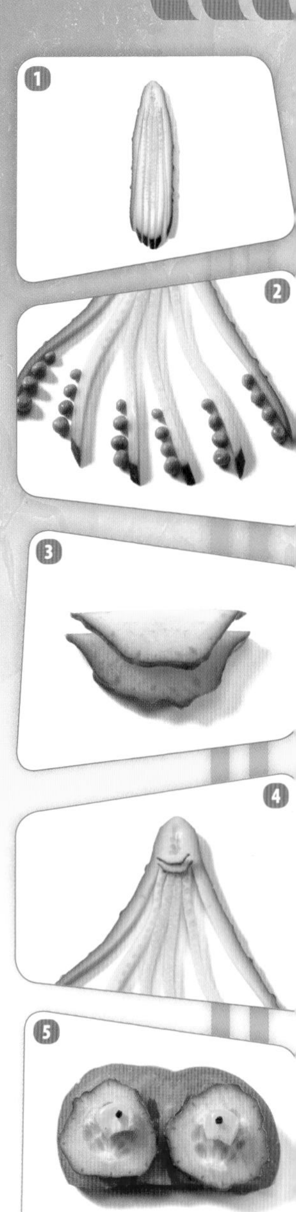

EL RATÓN

1 Tomate	1 Rábano	Perejil
1 Aceituna verde rellena	1 Aceituna negra	Maíz tierno

1. Corta dos pedazos de un tomate como se muestra en la foto 1. Quítales la pulpa y resérvalos. (Foto 2)
2. Haz un corte para la boca. (Foto 3)
3. Vuelve a colocar los cortes de tomate, ya sin pulpa, en los huecos, como se ve en la foto 4.
4. Inserta un tallito de perejil para la nariz. (Foto 5)
5. Haz los ojos con una aceituna rellena cortada al medio, la nariz con una aceituna negra, las orejas con dos rodajas de rábano y un flequillo con perejil. Inserta dos granos de maíz tierno en la boca para hacer los dientes

¡MANOS ARRIBA!

1 Pepino	3 Aceitunas negras	Cebollino
1 Pimiento rojo	Semillas de amapola	Hinojo
2 Rábanos	Judías rojas	Perejil

1. Corta la punta de un pepino y hazle una ranura, como se ve en la foto 1.
2. Inserta una tira de pimiento rojo en la ranura, como se ve en la foto 2, para hacer las piernas.
3. Haz las botas con aceitunas negras.
4. Corta un pepino y un rábano en rodajas y apílalas para formar el cuerpo.
5. Corta la otra punta del pepino y haz una ranura para los brazos y un corte no muy profundo, como se ve en la foto 5.
6. Corta una rodaja de rábano y hazle un corte que encaje con el que le hiciste al pepino. Inserta la rodaja de rábano en la de pepino, como se ve en la foto 6.
7. Con otra tira de pimiento haz los brazos. Para hacer las manos corta la forma de los dedos en dos rodajas de rábano y pégalas en los extremos.
8. Inserta los brazos apuntando hacia arriba en la ranura del pepino.
9. Para terminar, decora la cara: usa dos anillos de cebollino y semillas de amapola para los ojos, la punta de una judía roja para la nariz, hinojo para las cejas y perejil para los bigotes. Haz un poco de pelo con perejil.

6
7
8

EL CUERVO

1 Tomate grande	1 Aceituna negra	Maíz tierno
2 Tomates pequeños	Cebollino	Perejil

1. Corta un tomate grande como se ve en la foto 1.
2. Quítale la pulpa a una de las partes que cortaste, resérvala para hacer el pico del cuervo.
3. Haz un corte en el tomate como se ve en la foto 3, para insertar el pico.
4. Haz un corte no muy profundo en la parte de atrás del tomate. Inserta en él tres tallos de cebollino. (Fotos 4 y 5)
5. Corta a la mitad una aceituna negra e inserta en los agujeros granos de maíz tierno. Éstos son los ojos. (Foto 6)
6. Haz las alas con cebollino y coloca sobre ellos dos tomates pequeños. Inserta también el pico y haz las fosas nasales con dos anillos de cebollino. Haz unas patitas con tallitos de perejil. (Foto 7)
7. Para terminar, coloca los ojos sobre los tomates pequeños y apoya el cuervo sobre una base de lechuga picada. (Foto 8)

6

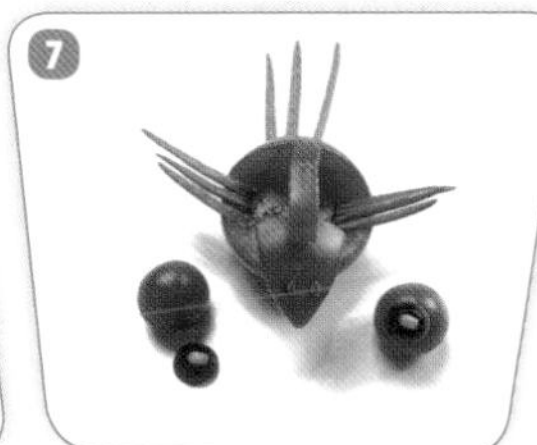
7

8

LA JIRAFA

1 Pepino	Semillas de amapola	Perejil
1 Pimiento rojo	Maíz tierno	

1. Corta la piel de un pepino en varios puntos, para formar unas manchas. Corta una de las puntas y resérvala para hacer el cuerpo. Luego corta dos rodajas de la otra punta en ángulo, como se ve en la foto 1, resérvalas para el hocico. La parte grande del pepino es el cuello.
2. Haz una ranura en el corte recto del cuello, para insertar en ella las patas delanteras.
3. Corta un anillo de pimiento rojo a la mitad. Con una de las mitades harás las patas delanteras, con la otra, las patas traseras. Coloca las patas delanteras en la ranura que cortaste antes.
4. Haz una ranura igual en la punta del pepino que reservaste en el primer paso para hacer el cuerpo.
5. Inserta las patas traseras en esta ranura. Añade una cola con un tallito de perejil.
6. Coloca el cuello y el cuerpo sobre una rodaja ovalada y grande de pepino.
7. Corta una rodaja fina de pepino al medio para hacer las orejas. Pégalas con mayonesa al corte en ángulo del cuello.
8. Para terminar, pega sobre las orejas las dos rodajas que reservaste en el primer paso para formar el hocico. Haz los ojos con granos de maíz tierno y semillas de amapola, la lengua con pimiento rojo y los cuernitos con perejil.

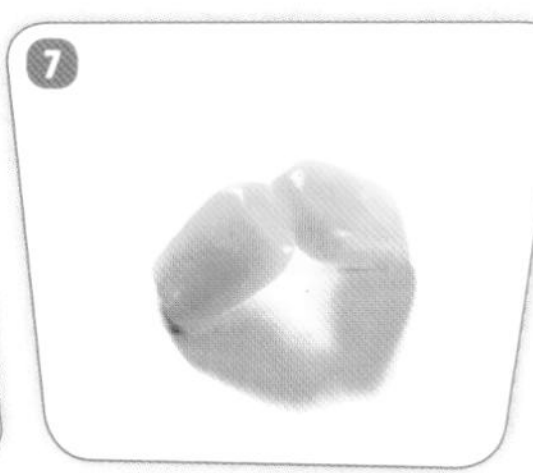

LA MARIPOSA

1 Tomate 1 Pepino	1 Aceituna negra Maíz tierno	Hinojo

1. Corta un tomate a la mitad.
2. Corta dos rodajas redondas y dos ovaladas de un pepino. (Fotos 2 y 3)
3. Coloca una de las mitades del tomate con el corte hacia abajo.
4. Corta un pedacito del tomate y muévelo ligeramente de su lugar sin sacarlo, como se ve en la foto 4. Haz dos cortes no muy profundos a los lados del pedacito que cortaste.
5. Inserta las rodajas de pepino en los cortes, como se ve en la foto 5, para hacer las alas de la mariposa.
6. Inserta un tallito de hinojo en el tomate para poder colocar luego la cabeza.
7. Para hacer la cabeza, inserta dos tallitos de hinojo en el agujero de una aceituna negra sin carozo, para hacer las antenas. Para hacer los ojos, corta al medio un grano de maíz tierno, sin cortar la piel, ábrelo como se ve en la foto 8 y colócalo sobre la cabeza.
8. Para terminar, coloca la cabeza en el cuerpo insertando el tallito de hinojo en el extremo libre del agujero de la aceituna.

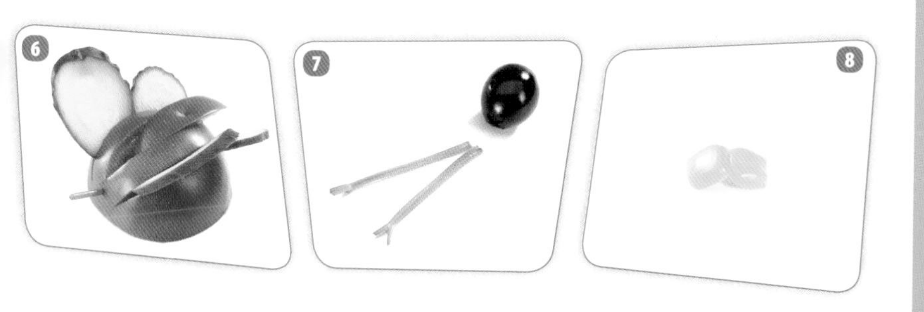
6
7
8

EL VALIENTE BOMBERO

1 Pepino	1 Pimiento rojo	Perejil
1 Aceituna negra	Maíz tierno	Cebollino

1. Córtale las puntas a un pepino y luego corta dos segmentos como se ve en la foto 2. Corta la parte que sobresale como se ve en la foto 3. Éstas serán las piernas y el cuerpo del bombero.
2. Corta el último trocito que sacaste a la mitad y coloca en cada una de las mitades un grano de maíz tierno. Éstos son los pies. Únelos a las piernas. (Fotos 4 y 5)
3. Perfora agujeros a los lados del cuerpo e inserta en ellos tallos de perejil, para hacer los brazos. (Foto 5)
4. Extrae un cilindro de pepino como se ve en la foto 6. Ésta será la cabeza.
5. Decora la cara con anillos de cebollino para las orejas, tallitos de perejil para las cejas, los ojos y la nariz, y pimiento rojo para la boca. (Foto 7)
6. Coloca la cabeza sobre el cuerpo.
7. Para finalizar, haz un casco con media aceituna negra, una rodaja de pepino, un grano de maíz tierno y un detalle de pimiento rojo, y colócalo sobre su cabeza. (Foto 8)

6
7
8

EN EQUILIBRIO

1 Pepino	Perejil
Pimiento rojo	Maíz tierno

1. Corta la punta de un pepino y luego corta dos secciones, como se ve en la foto 1. Corta la punta redondeada, como se ve en la foto 2.
2. Toma una tira de pepino y atraviésala con un tallo de perejil. Inserta el tallo de perejil en el otro corte de pepino. (Fotos 3 y 4)
3. Arma las bandejas con rodajas de pepino y tallos de perejil. (Foto 5)
4. Inserta las bandejas en los brazos y llénalas con granos de maíz tierno. Decora con una rodajita de pimiento rojo.

LAS MARIPOSAS

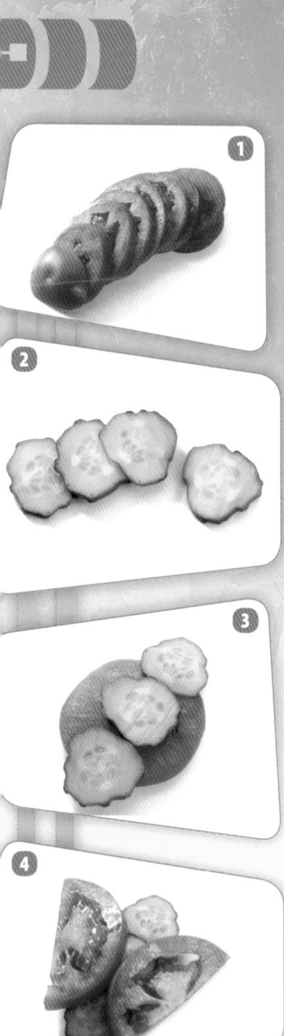

1 Pepino	Cebollino
1 Tomate	Maíz tierno

1. Corta un pepino y un tomate en rodajas. (Fotos 1 y 2)
2. Toma una rodaja grande de tomate y coloca encima de ella tres rodajas de pepino. Éste es el cuerpo de la mariposa. (Foto 3)
3. Corta una rodaja de tomate a la mitad para hacer las alas. Colócalas sobre el cuerpo, como se ve en la foto 4.
4. Haz los ojos con granos de maíz tierno y semillas de amapola, y las antenas con cebollino.

El Camello

1 Pepino	2 Tomates pequeños	Aceitunas
1 Tomate grande	Semillas de amapola	Perejil

1. Corta a lo largo dos láminas finas de pepino. Corta dos tiras de una de ellas, para hacer las patas del camello.
2. Corta un tomate en tres partes. Coloca la parte de abajo sobre la lámina de pepino y sobre ella cruza las patas, como se ve en la foto 3. Cúbrela con la parte del medio del tomate. Éste es el cuerpo del camello. (Foto 4)
3. Corta la última parte del tomate como se ve en la foto 5.
4. Coloca la parte del medio sobre el cuerpo, como se ve en la foto 6, para hacer la cabeza.
5. Coloca una de las otras dos partes sobre la cabeza, allí irán los ojos, y la otra debajo, para hacer la boca. (Foto 7)
6. Corta dos aceitunas negras a la mitad y coloca una mitad en cada pata para hacer los pies. (Foto 7)
7. Haz los ojos con pequeños círculos de pepino y semillas de amapola para las pupilas. Para hacer las cejas y las fosas nasales usa tallitos de perejil. Para la lengua usa una rodaja de tomate. Haz las orejas con hojitas de perejil. (Foto 8)
8. Para terminar, inserta un tallo de hinojo en la parte de atrás para hacer la cola y haz las jorobas con dos tomates pequeños.

El helicóptero fantástico

1 Tomate	1 Pimiento rojo	3 Aceitunas negras
1 Pepino	1 Pimiento amarillo	

1. Corta un tomate a la mitad. Haz tres pequeños cortes en una de las mitades, como se ve en la foto 1. Coloca esta mitad con el corte hacia arriba, ésta es la parte de abajo del helicóptero.
2. Haz tres ruedas con tiras de pimiento amarillo y aceitunas negras. Insértalas en cada uno de los cortes del tomate. (Fotos 2 y 3)
3. Haz un corte en la otra mitad del tomate, para colocar la cola del helicóptero. (Foto 4)
4. Corta una rodaja de un pepino a lo largo con la forma de la cola e insértala en el corte que acabas de hacer en el tomate. (Fotos 5 y 6)
5. Coloca el tomate con la cola sobre la parte de abajo del helicóptero, para hacer la cabina.
6. Corta la punta de un pimiento rojo y colócala con el corte hacia arriba para hacer la base de las hélices. (Foto 7)
7. Arma las hélices con tres rodajas largas y finas, y una rodaja redonda de pepino. (Foto 8)
8. Para terminar, coloca las hélices sobre la base.

6
7
8

EL BARRENDERO

1 Pepino	3 Aceitunas verdes	Maíz tierno
1 Pimiento rojo	2 Aceitunas negras	Guisantes
1 Pimiento amarillo	Semillas de amapola	Hinojo

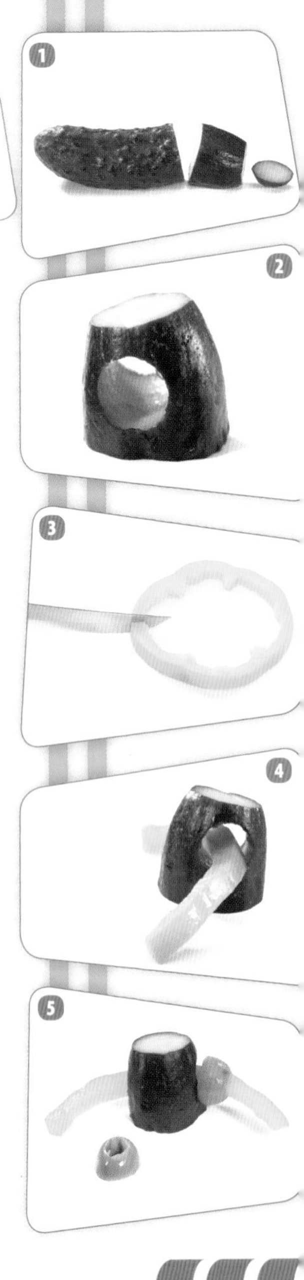

1. Corta una rodaja gruesa de la punta del pepino. Hazle una agujero como se ve en la foto 2. Éste será el cuerpo.
2. Corta un anillo de pimiento amarillo para hacer los brazos. Pasa los brazos a través del agujero del cuerpo. (Fotos 3 y 4)
3. Corta una aceituna verde a la mitad. Coloca las mitades en los brazos, como se ve en la foto 5.
4. Corta la parte de abajo de una aceituna verde grande, para hacer la cabeza del barrendero. Colócala sobre el cuerpo.
5. Haz la cara: usa un grano de maíz tierno cortado al medio para los ojos y semillas de amapola para las pupilas, un guisante para la nariz y piel de pimiento rojo para la boca. Pega todo con mayonesa. (Foto 6)
6. Haz una gorra con media aceituna negra y pimiento amarillo. (Foto 7)
7. Corta una aceituna negra a la mitad y a lo largo para hacer las botas, colócalas delante del cuerpo. (Foto 8)
8. Para terminar, haz la escoba con hinojo y la pala con un tallo de perejil y un cuarto de aceituna verde. (Fotos 9 y 10)

El dragón de tres cabezas

1 Rábano 1 Pimiento rojo	1 Pepino **Perejil**	Cebollino

1. Corta un anillo de pimiento rojo en cuatro partes. Tres de ellas serán cuellos, la restante será la cola.
2. Corta tres rodajas de rábano para las cabezas.
3. Corta un rectángulo en cada una de las rodajas y una punta en cada cuello para poder insertar las rodajas de rábano, como se ve en las fotos 3 y 4.
4. Corta una rodaja gruesa de pepino. Hazle las ranuras que se ven en la foto 5.
5. Inserta en las ranuras del pepino cada uno de los cuellos y la cola. (Foto 6)
6. Haz las patas con hojitas de perejil.
7. Haz los ojos en cada una de las cabezas con semillas de amapola. Agrega una cresta de cebollino.
8. También puedes insertar una cola larga, una tira de pimiento rojo, en lugar de la corta.

6

7

8

LA COBRA PEPINOSA

1 Tomate	1 Aceituna negra	Pimiento rojo
1 Pepino	Semillas de amapola	Maíz tierno

1. Corta un pepino con la herramienta especial para cortar en espiral.
2. Corta dos rodajas de lo que queda del pepino. Sobre una de ellas coloca dos granos de maíz tierno para hacer los dientes.
3. Coloca una lengua hecha con pimiento rojo entre los dientes.
4. Coloca encima la otra rodaja de pepino. Ésta es la cabeza de la cobra.
5. Corta una aceituna negra a la mitad. Inserta en cada mitad un grano de maíz tierno. Éstos son los ojos, haz las pupilas con semillas de amapola. Coloca los ojos sobre la cabeza.
6. Corta un tomate como se ve en la foto 6.
7. Haz dos cortes verticales desde arriba y despliega los trozos sin separarlos, como se ve en la foto 7.
8. Para terminar, coloca el pepino en espiral sobre el tomate y únelo a la cabeza.

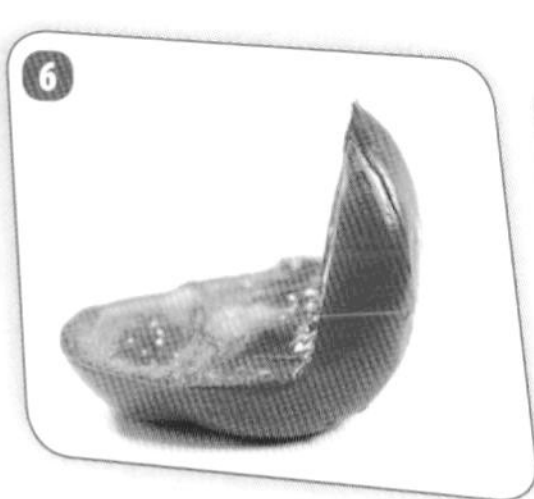
6

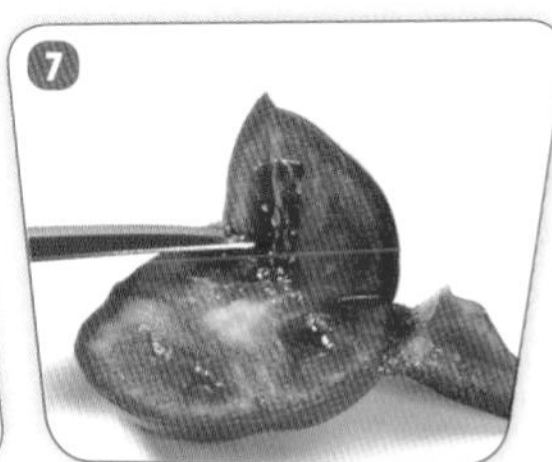
7

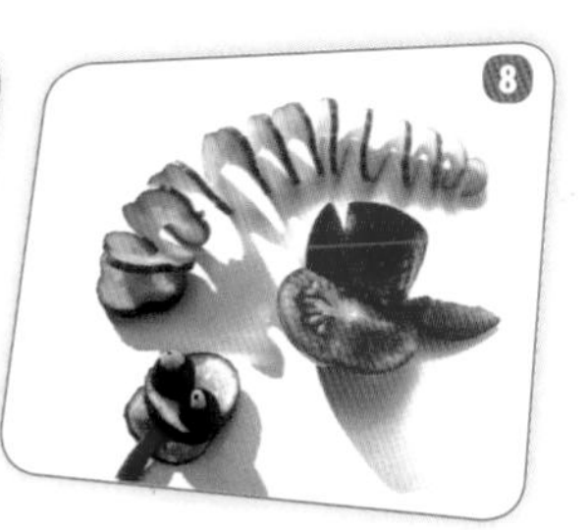
8

EL CASTOR CONSTRUCTOR

2 Tomates 1 Pepino	1 Aceituna verde 1 Pimiento rojo	Maíz tierno

1. Corta la parte de arriba de un tomate. Coloca sobre el corte dos tiras de pimiento rojo para los brazos y dos granos de maíz tierno para los dientes. (Foto 2)
2. Corta una rodaja de otro tomate como se muestra en la foto 3, para hacer la cabeza. Colócala sobre los brazos y los dientes. Pega detrás de ella dos círculos de pepino, para hacer las orejas. (Foto 4)
3. Corta un anillo de pimiento rojo para hacer las patas traseras, colócalas alrededor del castor. (Foto 5)
4. Con la primera rodaja de tomate que cortaste haz la cola. Haz los ojos con rodajas de aceituna verde, granos de maíz tierno y semillas de amapola. La nariz la puedes hacer con la punta de una aceituna negra.

EL GATO TATO

1 Tomate	Hinojo	Judías rojas
1 Aceituna verde	Maíz tierno	

1. Corta de un tomate las formas que se ven en la foto 1. Luego córtalas al medio y colócalas de vuelta en el tomate, como se ve en la foto 2, para hacer las orejas y la cabeza del gato.
2. Corta dos rodajas de aceituna verde a la mitad. Rellena dos de ellas con granos de maíz tierno. Éstos son los ojos. Haz las pupilas con piel de pepino. (Fotos 3 y 4)
3. Coloca los ojos sobre la cara del gato. Haz las cejas con hinojo.
4. Para la nariz usa media judía roja y para los bigotes, hinojo. Para la boca usa una de las mitades de aceituna que te quedaron.

LOS COCODRILOS

2 Pepinos	1 Aceituna negra
1 Rábano	Maíz tierno

1. Corta un pepino a lo largo en finas láminas.
2. Corta otro pepino en rodajas redondas.
3. Corta dos de las rodajas a la mitad, para hacer las patas del cocodrilo.
4. Corta la lámina de pepino más larga a la mitad. Coloca encima de ella una rodaja de pepino entera y las cuatro mitades como se ve en la foto 4.
5. Corta dos triángulos de rábano y una tirita de su piel, para hacer la lengua y los dientes. Pon los detalles de los dientes uno encima del otro, con la lengua en el medio. Corta un poco de piel de pepino con la misma forma que los dientes, la cabeza.
6. Coloca la boca sobre el cuerpo del cocodrilo y encima, la cabeza.
7. Para finalizar, cubre todo con la lámina de pepino que conserva la piel. Haz los ojos con un grano de maíz tierno cortado al medio, las pupilas hazlas con semillas de amapola. (Fotos 7 y 8)

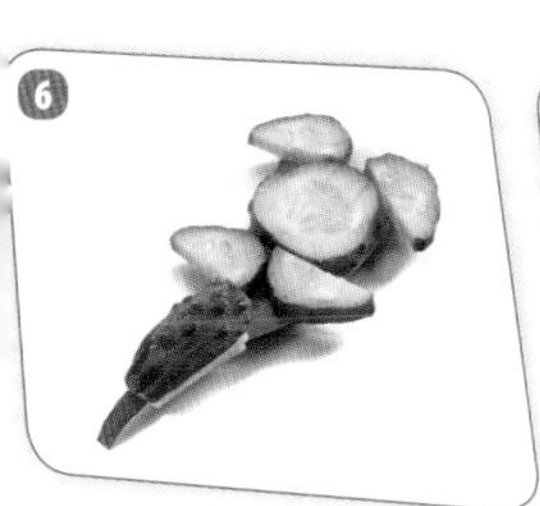
6

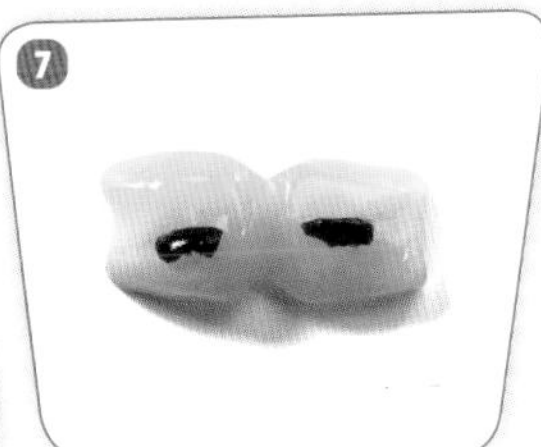
7

8

El esquiador

2 Pepinos	2 Aceitunas negras	Hinojo
1 Rábano	Maíz tierno	
1 Tomate pequeño	Semillas de amapola	

1. Corta un pepino a la mitad oblicuamente.
2. Haz un agujero que atraviese horizontalmente una de las mitades. Allí irán las piernas. En la otra mitad haz dos agujeros, uno horizontal, para los brazos, y el otro vertical, para la cabeza, cerca de la punta. (Foto 3)
3. Junta las dos mitades como se ve en la foto 4. Éste es el cuerpo del esquiador.
4. Corta una tira de pepino y pásala a través del agujero para las piernas. Haz las botas con aceitunas negras. (Foto 5)
5. Corta otra tira de pepino y hazle unos cortes en las puntas para hacer los dedos. Pasa esta tira a través del agujero para los brazos. (Foto 6)
6. Inserta en el agujero para la cabeza un cilindro de pepino. Haz un hueco en un tomate pequeño, como se ve en la foto 7, para que encaje perfectamente en el cilindro de pepino. Ésta será la cabeza. Colócala sobre el cuerpo.
7. Haz los ojos con un grano de maíz tierno y semillas de amapola para las pupilas. Hazle un sombrero con pepino y un flequillo con hinojo.
8. Para finalizar, haz los bastones con dos tiras de pepino y círculos de rábano, y los esquíes con tiras de pepino.

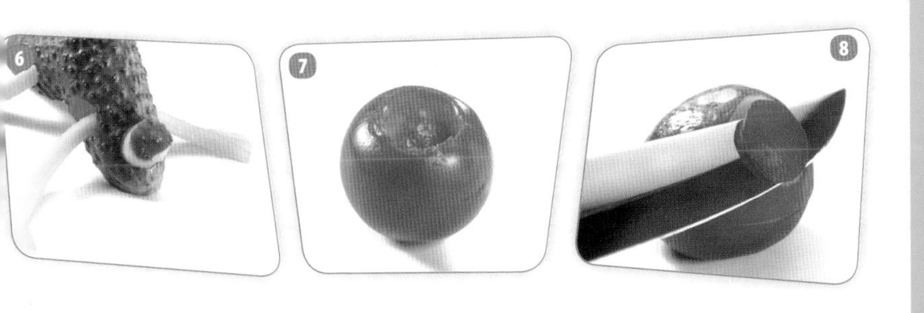

LA HORMIGA

2 Tomates grandes	1 Pepino	Guisantes
1 Tomate pequeño	1 Rábano	Hinojo

1. Corta en un tomate grande dos segmentos como se ve en la foto 1, resérvalos para después. Luego realiza un corte horizontal debajo de los cortes. Ésta será la cabeza de la hormiga. (Foto 2)
2. Inserta una pequeña rodaja de rábano en el corte horizontal para hacer los dientes. (Foto 3)
3. Corta círculos con un molde en dos rodajas de pepino. (Foto 4)
4. Corta círculos de rábano con el mismo molde e insértalos en las rodajas de pepino. Éstos son los ojos. Haz las pupilas con medio guisante. (Fotos 5 y 6)
5. Quítale la pulpa a los segmentos de tomate que reservaste y vuelve a ponerlos en los cortes. Coloca los ojos encima de ellos. (Fotos 7 y 8)
6. Pon la cabeza junto a un tomate pequeño y detrás de éste un tomate más grande, así armarás el cuerpo de la hormiga.
7. Usa tallos de hinojo para hacer las patitas, tres de cada lado, y las antenas, justo detrás de los ojos.
8. Para terminar, coloca la hormiga sobre un colchón de repollo morado.

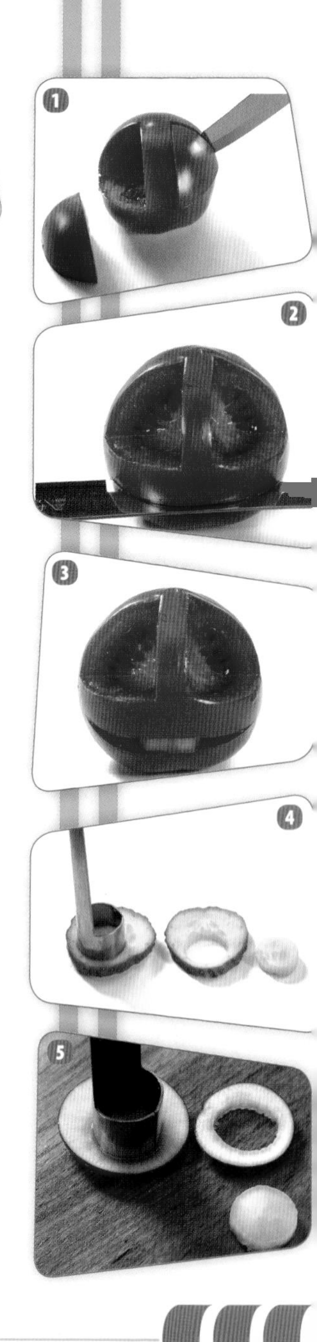

LA MOSCA ZUMBADORA

1 Pepino 1 Aceituna negra	Pimiento rojo Cebollino	Puerro

1. Corta dos finas láminas de un pepino, como se ve en la foto 1. Éstas serán las alas, el pedazo del medio será el cuerpo.
2. Coloca seis cebollinos sobre el cuerpo, como se ve en las fotos 2, 3 y 4. Éstas son las patas.
3. Corta un anillo grueso de puerro. Úsalo para ajustar las alas a los lados del cuerpo, como se ve en la foto 6.
4. Haz un corte para la boca e inserta en él un trocito de pimiento rojo. (Fotos 7 y 8)
5. Corta una aceituna negra en dos y rellénala con pimiento rojo para hacer los ojos.
6. Para terminar, coloca los ojos sobre la cabeza.

EL RATÓN

1 Pimiento rojo	Guisantes	Hinojo
1 Pepino	Semillas de amapola	
1 Aceituna negra	Maíz tierno	

1. Corta la parte de arriba de un pimiento rojo y vacía bien su interior, ésta será la cabeza. (Foto 2)
2. Haz un corte para la boca e inserta granos de maíz tierno para hacer los dientes. (Foto 3)
3. Haz dos cortes para las orejas en la parte de atrás, como se ve en la foto 4. Inserta dos círculos de pepino en los cortes. (Foto 5)
4. Inserta un tallito de hinojo en la punta y clava en él media aceituna negra, para hacer la nariz. (Fotos 6 y 7)
5. Corta la otra mitad de la aceituna en dos rodajas, agrega sobre cada una un guisante y una medialuna de pepino, para hacer los ojos. Haz las pupilas con semillas de amapola. (Foto 8)
6. Para terminar, coloca los ojos en la cabeza y decora con hinojo para hacer los bigotes y las cejas del ratón.

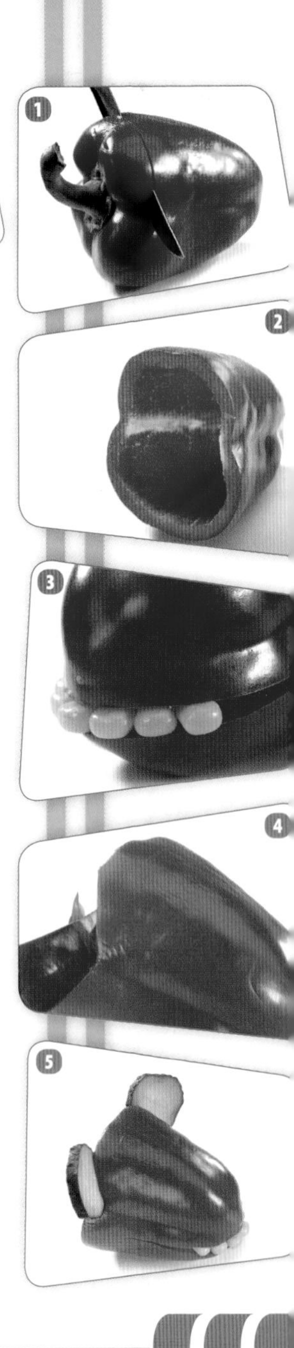

LA GALLINA

1 Tomate	Perejil
Maíz tierno	1 Huevo de codorniz

1. Corta un tomate como se ve en la foto 1. Luego corta tres segmentos triangulares. (Fotos 2 y 3)
2. Los segmentos de los costados muévelos un poco hacia atrás, para hacer las alas. El del medio resérvalo para hacer el pico. (Foto 4)
3. Con tallitos de perejil haz las patas. (Foto 5)
4. Haz los ojos con granos de maíz tierno y semillas de amapola, el flequillo y la cola, con perejil, y decora con un huevo de codorniz.

LAS RANAS CANTORAS

1 Pepino	Guisantes
Pimiento rojo	Perejil

1. Corta un pepino en rodajas.
2. Coloca en una rodaja una tira de pimiento rojo, para hacer la lengua. Cúbrela con otra rodaja de pepino.
3. Corta dos círculos de pepino para los ojos. Colócalos sobre la rodaja de pepino y pon un guisante sobre cada uno de ellos. Puedes hacer las pupilas con semillas de tomate. (Fotos 4 y 5)
4. Haz las patas con hojitas de perejil y decora el plato con rábanos, granos de maíz y hojas de menta.

EL GORRIÓN

1 Tomate	2 Aceitunas negras	Perejil
1 Pepino	Maíz tierno	

1. Corta un tomate a la mitad y corta una de las mitades a la mitad. De una de estas mitades corta una rodaja, para hacer la cabeza del gorrión, y en la otra, que será el cuerpo, realiza un corte triangular. (Foto 2)
2. Coloca la cabeza en la ranura del cuerpo, como se ve en la foto 3.
3. Corta una rodaja gruesa de pepino como la que se ve en la foto 4.
4. Corta una ranura y dos trocitos triangulares como se indica en la foto 5. Ésta será la cola del gorrión.
5. Corta dos rodajas ovaladas y finas de pepino. Hazles un corte a la mitad pero sin cortarlas por completo. (Foto 6)
6. Haz un corte a cada lado del cuerpo del gorrión para insertar las rodajas ovaladas de pepino, éstas son las alas. (Foto 7)
7. Corta una aceituna negra a la mitad e inserta en cada una un grano de maíz tierno. Éstos son los ojos. Haz las pupilas con tallitos de perejil. (Foto 8)
8. Con dos tallos de perejil haz las patas. Coloca los ojos sobre la cabeza y las patas delante del cuerpo. Decora la cabeza con una rodaja de pepino y la punta de una aceituna negra. Junta el cuerpo con la cola.

6
7
8

LOS PINGÜINOS

2 Rábanos Maíz tierno	Aceituna negra

1. Elige dos rábanos de diferente tamaño. El más grande será el cuerpo y el más pequeño, la cabeza.
2. Corta la base del cuerpo para obtener estabilidad. Corta una rebanada fina y resérvala. Haz un corte a cada lado y uno desde abajo hacia arriba. (Fotos 1, 2 y 3)
3. Corta en dos la rebanada que reservaste antes, para hacer las alas.
4. Corta una rodaja de rábano a la mitad y luego córtala con la forma de las patas, como se ve en la foto 4.
5. Inserta las alas en los cortes de los costados y las patas en el de abajo.
6. Perfora un agujero en un costado del rábano más pequeño, la punta será el pico. Inserta la cabeza en la punta del rábano con el que hiciste el cuerpo. (Foto 5)
7. Para terminar, corta un grano de maíz tierno y ábrelo sin separarlo completamente, para hacer los ojos. Haz las pupilas con tiritas de aceituna negra. (Fotos 6, 7 y 8)
8. Haz otros pingüinos de la misma manera en diferentes posiciones.

6

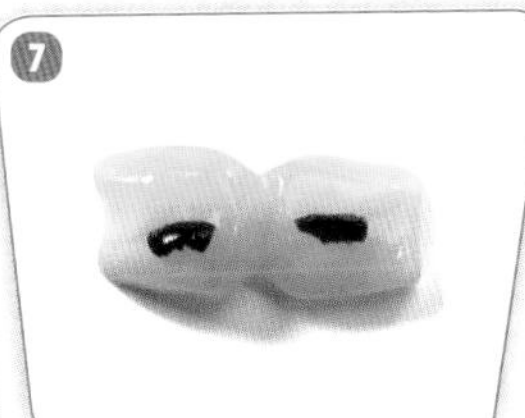
7

8

LAS ABEJAS

3 Rábanos	Guisantes
Semillas de amapola	Maíz tierno

1. Elige dos rábanos de forma ovalada. Corta una pequeña rebanada de cada uno para ganar estabilidad. Éstos serán los cuerpos de las abejas.
2. Realiza surcos en ambos rábanos, como se ve en la foto 2.
3. Realiza un corte a los lados de cada rábano, para insertar luego los alas.
4. Corta ocho rodajas de rábano, las alas. Inserta dos en cada uno de los cortes que hiciste en el paso anterior. (Fotos 5 y 6)
5. Corta un guisante al medio pero no completamente, ábrelo y apóyalo sobre el cuerpo de la abeja, justo sobre la punta. Éstos son los ojos, haz las pupilas con semillas de amapola. (Fotos 7 y 8)
6. Haz los ojos de la otra abeja de la misma manera pero con un grano de maíz tierno en lugar de un guisante.

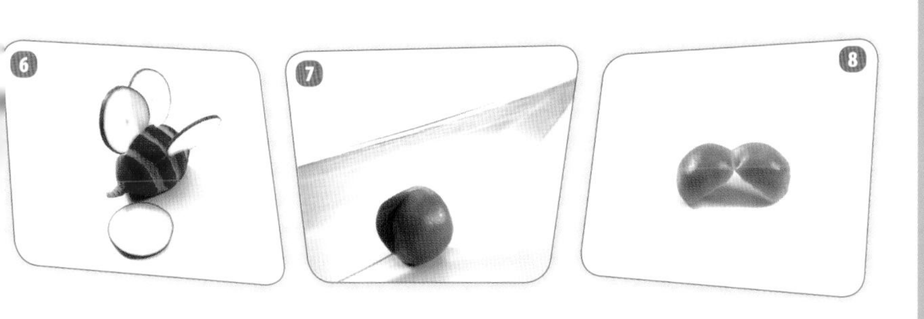
6
7
8

EL CIEMPIÉS

2 Pepinos	6 Tomates pequeños	Hinojo
1 Rábano	Semillas de amapola	Maíz tierno
1 Aceituna negra	Guisantes	

1. Corta a la mitad y a lo largo un pepino.
2. Coloca seis tomates pequeños sobre una de las mitades. (Foto 1)
3. Corta otro pepino en rodajas.
4. Intercala las rodajas de pepino entre los tomates. Éste será el cuerpo del ciempiés. (Foto 2)
5. Con otras rodajas de pepino haz anillos y luego córtalos en dos partes. Con ellos harás las patas. (Foto 3)
6. Corta una aceituna negra a la mitad y cada mitad en cuatro, como se muestra en la foto 4. Éstas serán las botas del ciempiés.
7. Coloca las patas a los costados del cuerpo y sobre sus extremos coloca las botas. (Foto 5)
8. Con dos granos de maíz tierno haz los ojos, usa semillas de amapola para las pupilas. Con la mitad de un guisante haz la nariz y con una rodaja de rábano, la boca. (foto 6)
9. Para pegar todos los detalles utiliza un poco de mayonesa.
10. Para finalizar, decora la cabeza con un tallo de hinojo. (Foto 7)

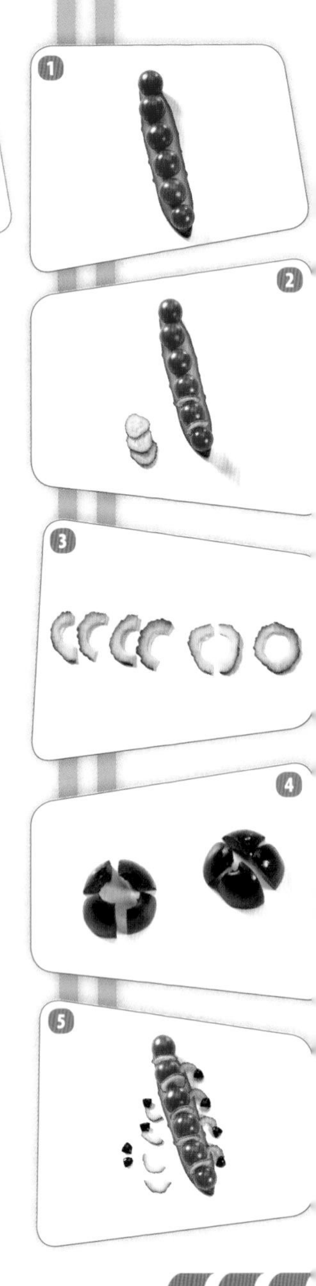

LA HORMIGA COLORADA

1 Pepino	1 Aceituna verde	Judías rojas
3 Tomates	Cebollino	Maíz tierno

1. Corta en rodajas a lo largo un pepino.
2. Haz cortes a los lados de la rodaja más larga que tengas, como se ve en la foto 2.
3. Inserta tallos de cebollino en estos dos cortes, tres de cada lado, para hacer las patas.
4. Coloca sobre el pepino tres tomates pequeños, para hacer el cuerpo de la hormiga.
5. Haz la nariz con la punta de una judía roja y la boca con un trocito de pepino.
6. Para hacer los ojos corta un grano de maíz tierno a la mitad sin cortar la piel. Ábrelo sin separar las dos mitades.
7. Haz las pupilas con trocitos de cebollino y pega los ojos a la cara usando mayonesa. (Fotos 7 y 8)

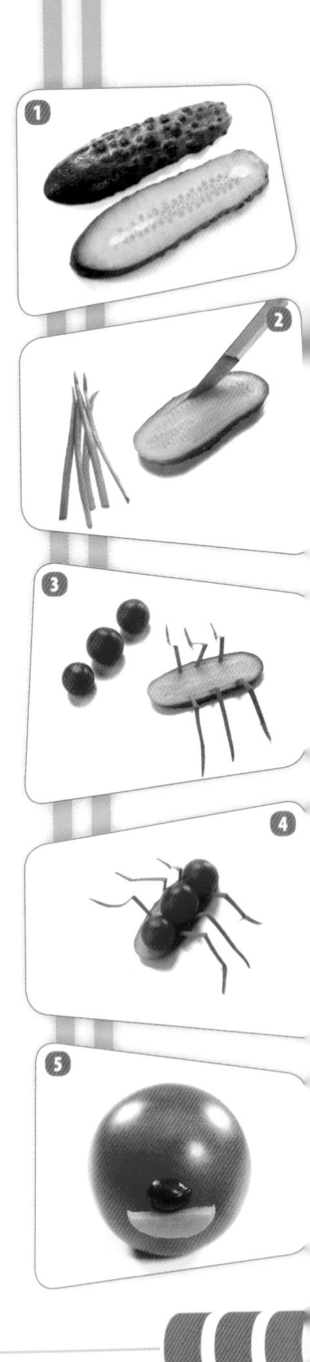

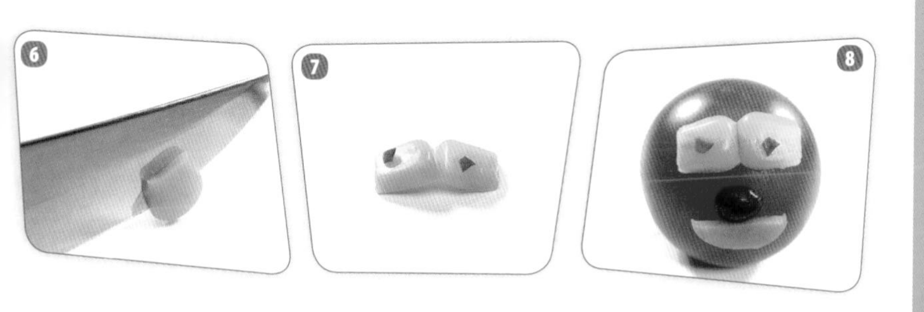

EQUIVALENCIAS
Y SUSTITUTOS

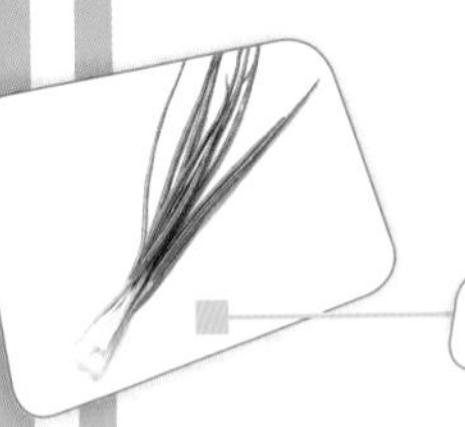

Albahaca: **Basílico**

Cebollino: **Ciboulette, cebollín.**

Guisante: **Arveja, chícharo, alverja, petipuá.**

Judías: **Porotos, alubias, frijoles, habichuelas, habas, guandú, fréjol, caraota.**

Maíz tierno: **Choclo, elote, jojoto.**

Pepino: **Cohombro.**

Pimiento: **Ají, morrón.**

Rábano: **Rabanito.**

Semillas de amapola: **Si no las consigues puedes usar semillas de sésamo o ajonjolí tostadas, trocitos de aceituna negra o bayas de mora.**

Tomate: **Jitomate.**

ÍNDICE